Recetas para:
ENTRANTE ROMANTICO
CENAS ROMANTICAS
ENSALADAS ROMANTICAS

Carlos Ariesta

Recetas para: ENTRANTE ROMANTICO, CENAS ROMANTICAS, ENSALADAS ROMANTICAS

INTRODUCCIÓN

Si bien a todos nos encanta salir por la noche, las citas nocturnas también pueden ser especiales. ¿Cuándo fue la última vez que organizó una cena romántica para su pareja? En lugar de sacar esas sobras poco apetitosas del congelador, puede condimentar tanto su plato como su vida amorosa sin siquiera salir de casa, y cocinar sus apetitos el uno por el otro en el proceso.

Con eso en mente, este libro compartirá una cena romántica inspiradora de 5 platos para celebrar su amor especial, ya sea en el Día de San Valentín, cenas de aniversario, cenas de cumpleaños o cenas de compromiso. ¡O simplemente porque sí!

Para aquellos de nosotros que no tenemos el toque de chef, puede resultar intimidante planificar una comida sin saber por dónde empezar. Pero resulta que hacer esa extensión extravagante no es tan difícil como parece (¡y es más fácil con estas recetas increíbles pero simples!).

APERITIVO ROMÁNTICO

1. Tocino y Ostras Ahumadas

- 2 latas de ostras ahumadas

- 1/4 taza de aceite vegetal ligero

- 1/2 libra de tiras de tocino
- 40 palillos de madera redondos
- 3 cucharadas de ajo picado

a) Corta las tiras de tocino en tercios.

b) Envuelva una rebanada de tocino alrededor de cada ostra y coloque un palillo para mantenerla en su lugar.

c) En una sartén mediana, caliente el aceite y agregue el ajo.

d) Cocine las ostras envueltas en aceite hasta que el tocino esté crujiente.

e) Retirar de la sartén y escurrir sobre una toalla de papel para drenar.

2. Aperitivos de queso azul y nueces

- 1 taza de nueces

- 1 taza de queso azul desmenuzado

- 1 huevo batido con 1 pastilla de agua

a) Simplemente pique 1 taza de nueces (dependiendo del tamaño de queso brie que necesite cubrir) y revuelva en 1 taza de queso azul desmenuzado. Presione sobre la parte superior del queso brie y envuelva con cuidado una hoja de masa de hojaldre descongelada (extienda al tamaño necesario).

b) Use los dedos mojados con agua fría para sellar la parte inferior de la masa. Corta el exceso para hacer recortes y adhiere a la parte superior del queso brie con un poco de agua fría.

c) Unte con la mezcla de huevo.

d) Hornee en una bandeja para hornear cubierta con pergamino para hornear en un horno a 375 grados durante aproximadamente 20 minutos hasta que estén doradas. (El pergamino facilita la transferencia del queso brie a un plato para servir). Deje reposar el queso brie horneado durante 20-30 min. antes de cortar para que se reafirme un poco.

3. Alas de búfalo con salsa de queso

- 6 cucharadas de mantequilla o margarina

- 1/4 taza de salsa de pimiento picante

- Aceite vegetal para freír

- 18 Alitas de pollo, desarticuladas, puntas descartadas Salsa de queso azul para mojar:

- 1/4 lb de queso azul, roquefort o gorgonzola

- 1/2 taza de mayonesa

- 1/2 taza de crema agria

- 1 cucharada de jugo de limón

- 1 cucharada de vinagre de vino

- Salsa de pimiento picante al gusto

a) Derretir la mantequilla en una cacerola pequeña. Agrega la salsa picante y retira del fuego.

b) En una sartén grande o freidora, caliente 1 "de aceite a 375. Freír las alas en tandas sin amontonar hasta que estén doradas, 12 1/2 minutos. Escurrir sobre toallas de papel.

c) Unte las alas con mantequilla picante. Sirva caliente con salsa de queso azul.

d) Para salsa de queso azul:

e)

f) En un tazón pequeño, triturar el queso azul, dejando unos pequeños grumos. Batir la mayonesa hasta que se mezcle. Agregue la crema agria, el jugo de limón,

g) vinagre de vino y salsa de pimiento picante; batir hasta que esté bien mezclado.

h) Cubra y refrigere hasta que esté listo para servir.

4. **Besos de corazón de caviar**

- 1 sm Pepino, lavado y recortado

- 1/3 taza de crema agria

- 1 cucharadita de eneldo seco

- Pimienta negra recién molida al gusto

- 1 tarro de caviar de salmón rojo

- Ramitas de eneldo fresco

- 8 rebanadas finas de pan integral

- Mantequilla o margarina

a) Corta el pepino en rodajas de 1/4 de pulgada.

b) En un tazón pequeño, combine la crema agria, el eneldo seco y la pimienta. Coloque una cucharadita de la mezcla de crema agria en cada rodaja de pepino. Adorne cada uno con aproximadamente 1/2 cucharadita de caviar y una ramita de eneldo.

c) Corta rebanadas de pan con un cortador de galletas en forma de corazón. Tostadas y mantequilla. Coloque las rodajas de pepino en el centro de un plato para servir y rodee con corazones de tostada.

5. **Aperitivos de queso cheddar y brócoli**

10 oz de brócoli picado congelado *

- 8 oz de maíz en grano entero; agotado

- 1/4 taza de cebolla; Cortado

- 1/2 taza de nueces picado grueso

- 1/2 taza de leche

- 1/4 taza de mantequilla; Derretido

- 2 huevos

- 1/2 taza de bisquick

- 1/4 cucharadita de sal de ajo

- 1 taza de queso cheddar; triturado

a) Caliente el horno a 375. Engrase una sartén de 9x9x2 ".

b) Mezcle el brócoli, el maíz, la cebolla y las nueces. Coloca en una sartén.

c) Batir la leche, la mantequilla, los huevos, el bisquick y la sal de ajo hasta que quede suave, 15 segundos. en la licuadora a temperatura alta, deteniendo la licuadora con frecuencia para raspar los lados si es necesario, o 1 minuto. con batidora eléctrica en alto. Vierta uniformemente en la sartén.

d) Hornea hasta que al insertar un cuchillo en el centro, éste salga limpio, 23-25 minutos .; espolvorear con queso.

e) Hornee hasta que el queso se derrita, 2-3 minutos más. enfriar 30 minutos. Cortar en triángulos o cuadrados. Rinde 30 aperitivos.

6. Snacks de queso y salchicha

- 1 rollo de carne de salchicha

- 1 cebolla española, finamente picada

- 1 libra de queso cheddar rallado

- 3 tazas de bisquick

- 3/4 taza de leche

a) Mezcle la carne de salchicha y la cebolla en la licuadora. Agregue el queso cheddar, el bisquick y la leche y mezcle bien.

b) Coloque una cucharadita en una bandeja para hornear engrasada. Hornee a 425 grados Fahreneheit durante 10-15 minutos o hasta que se dore.

7. Tapas de champiñones rellenos de almejas

- 1/2 taza de mantequilla
- 2 libras de hongos, de 1-1 / 2 "a 2" de diámetro
- 1 taza de almejas picadas, con líquido
- 1 diente de ajo picado
- 1/2 taza de pan rallado deshidratado
- 1/3 taza de perejil picado
- 3/4 cucharadita de sal
- 1/4 cucharadita de pimienta negra molida
- Jugo de limon

a) Derrita la mantequilla en una cacerola.

b) Retire y corte los tallos de los champiñones. Sumerja las tapas de los champiñones en mantequilla y colóquelas, con el lado redondeado hacia abajo, en una rejilla en una bandeja para hornear galletas.

c) Escurre las almejas y reserva el líquido.

d) En mantequilla derretida, sofreír los tallos de los champiñones y el ajo. Agregue el líquido de las almejas y cocine a fuego lento hasta que los tallos de los hongos estén tiernos. Retire del fuego y agregue el pan rallado, el perejil, la sal y la pimienta.

e) Coloque la mezcla en las tapas de los champiñones. Ase a unas 6 "del fuego durante unos 8 minutos, hasta que los champiñones estén tiernos y la parte superior ligeramente dorada. Espolvoree unas gotas de jugo de limón en cada uno y sirva caliente.

CENAS ROMANTICAS

8. Pollo en Salsa Sedosa de Almendras

- 16 piezas de pollo sin piel

- 5 cebollas medianas en rodajas finas

- 2 cucharadas de aceite vegetal

- 6 tb almendras molidas blanqueadas

- 3 cucharadas de cilantro molido

- 2 cucharadas de jengibre fresco picado

- 2 cucharaditas de cardamomo molido

- 1 x plato de sal
- 2 cucharaditas de pimiento rojo molido
- 1 ts comino molido
- 1/2 cucharadita de hinojo molido
- 1/2 taza de aceite vegetal
- 2 c yogur natural
- 1 taza de agua
- 1 x cilantro fresco (guarnición)

a) Seque el pollo con palmaditas.

b) Caliente 2 cucharadas de aceite vegetal en una sartén grande a fuego medio-alto.

c) Agregue el pollo en tandas y cocine por todos lados hasta que ya no esté rosado (no se dore).

d) Retirar con una espumadera y reservar.

e) Caliente 1/2 taza de aceite vegetal en una sartén. Agregue la cebolla en rodajas y fría hasta que se marchite y se dore, revolviendo constantemente, aproximadamente 10 minutos.

f) Agregue las almendras, el cilantro, el jengibre, el cardamomo, la sal, el pimiento rojo molido, el comino y el hinojo y cocine de 3 a 5 minutos más. Retire la mezcla del fuego.

g) Transfiera la mitad de la mezcla al procesador o licuadora. Haga puré con la mitad del yogur y la mitad del agua.

h) Repite con el resto de la mezcla, yogur y agua.

i) Vierta la salsa nuevamente en la sartén.

j) Agregue el pollo a la sartén. Coloque a fuego medio-alto y deje hervir.

k) Reduzca el fuego, tape y cocine a fuego lento hasta que el pollo esté tierno y la salsa espese, aproximadamente 45 minutos.

l) Retírelo del calor. Deje reposar a temperatura ambiente durante unos 30 minutos.

m) Transfiera a una fuente para servir, decore con cilantro y sirva inmediatamente.

9. Filete con setas al estragón

INGREDIENTES

Filetes

- 1 cucharadita de aceite de canola

- 2 filetes de filete mignon de 1 ½ pulgada de grosor, también conocidos como filetes grandes y sexy, de 12 a 14 onzas en total

- ½ cucharadita de sal kosher y pimienta recién molida

- 1 chalota grande, picada

- ½ cucharadita de tomillo fresco picado

- 1/4 taza de vermú dulce

- 3/4 taza de caldo de pollo o res reducido en sodio

- $\frac{1}{2}$ cucharadita de almidón de maíz o arrurruz

SETAS DE ESTRRAGÓN

- 2 cucharaditas de aceite de oliva extra virgen

- 2 cebolletas en rodajas, las partes blancas y verdes separadas

- 4 tazas de champiñones mixtos en rodajas, silvestres, shiitake y / o blancos

- $\frac{1}{4}$ de cucharadita de sal

- $\frac{1}{2}$ cucharadita de estragón fresco picado

INSTRUCCIONES

PREPARAR BISTECES

a) Precaliente el horno a 425 grados F.

b) Caliente el aceite de canola en una sartén mediana para horno. Mientras tanto, espolvoree los filetes con sal kosher y pimienta. Cuando el aceite brille, agregue los filetes y cocine hasta que el fondo esté profundamente dorado, aproximadamente 5 minutos. Dé la vuelta a los bistecs, inserte un termómetro de lectura intacta a prueba de horno remoto en el centro de un bistec (si lo usa) y transfiera la sartén al horno. Ase hasta que los filetes estén a 130 grados F durante 8 a 11 minutos a fuego medio. Transfiera los filetes a un plato y cúbralos con papel de aluminio para mantenerlos calientes.

c) Coloque la sartén a fuego medio-alto. ¡Tenga cuidado de que el mango esté caliente! Agregue la chalota y el tomillo a la sartén y cocine, revolviendo hasta que la chalota se dore, aproximadamente 30 segundos. Agrega el vermut y deja hervir a fuego lento hasta que casi se reduzca a la mitad. Revuelva la maicena en el caldo y agregue a la sartén. Deje hervir a fuego lento, revolviendo. Cocine hasta que espese un poco y se reduzca a aproximadamente ½ taza. Retirar del fuego.

PREPARAR SETAS DE TARRAGÓN.

d) Mientras tanto, mientras los bistecs se asan, caliente el aceite de oliva en una sartén grande a fuego medio-alto. Agregue las cebolletas, los champiñones y la sal, y cocine, revolviendo ocasionalmente, hasta que los champiñones se doren y los jugos se evaporen, de 6 a 8 minutos. Agregue las cebolletas y el estragón y retire del fuego.

e) Sirve los bistecs con la salsa de vermú y los champiñones.

10. Cuencos de salmón teriyaki en olla de cocción lenta

Ingredientes

- 4 tallos de limoncillo, magullados y cortados en trozos de 4 pulgadas

- 1 bulbo de hinojo (aproximadamente 14 oz), en rodajas

- 4 cebolletas, cortadas a la mitad transversalmente

- 1/3 taza de agua

- 1/3 taza de vino blanco seco

- 1 filete de salmón con piel y corte central (2 lb)

- 2 1/2 cucharaditas de sal kosher, cantidad dividida

- 1 cucharadita de pimienta negra, dividida
- 12 onzas de coles de Bruselas, en cuartos
- 2 cucharadas de aceite de oliva, divididas
- 6 onzas de tapas de hongos shiitake, en rodajas
- 1/2 taza de jugo de piña
- 2 cucharadas de salsa de soja
- 1 cucharada de azúcar morena
- 1 cucharadita de maicena
- 1 cucharadita de ajonjolí
- 3 tazas de arroz integral cocido
- 1 taza de zanahorias en rama
- Rodajas de lima, para servir

a) Doble un trozo de papel de pergamino de 30 x 18 pulgadas por la mitad a lo largo; Doblar por la mitad de nuevo en sentido transversal (extremo corto a extremo corto) para crear una pieza de 4 capas de espesor. Coloque el pergamino doblado en el fondo de una olla de cocción lenta de 6 cuartos, dejando que los extremos se extiendan parcialmente hacia los lados.

b) Coloque la mitad de la hierba de limón, el hinojo y las cebolletas en una capa uniforme sobre un pergamino en una olla de cocción lenta. Agrega agua y vino. Espolvorea el salmón con 1 cucharadita de sal y 1/2 cucharadita de pimienta; colocar sobre la mezcla de limoncillo. Cubra el salmón con la hierba de limón restante, las cebolletas y el hinojo. Tape y cocine a temperatura ALTA hasta que el salmón se desmenuce fácilmente con un tenedor, de 1 a 2 horas. Usando papel pergamino como manijas, levante el salmón de la olla de cocción lenta, permitiendo que el líquido se escurra. Deseche la mezcla en la olla de cocción lenta. Reserva el salmón.

c) Precaliente el horno a 425 ° F. Mezcle las coles de Bruselas con 1 cucharada de aceite de oliva, 1 cucharadita de sal kosher y 1/2 cucharadita de pimienta negra en una bandeja para hornear con borde. Hornee en horno precalentado hasta que estén tiernos y comiencen a crujir, de 20 a 25 minutos. Caliente la 1 cucharada de aceite de oliva restante en una sartén a fuego medio-alto y cocine los champiñones y la 1/2 cucharadita de sal kosher restante hasta que estén tiernos, de 3 a 4 minutos. Agrega los champiñones a la bandeja para hornear con las coles de Bruselas; Limpie la sartén con un trapo.

d) Cocine el jugo de piña, la salsa de soja, el azúcar morena y la maicena en una sartén a fuego medio, batiendo constantemente, hasta que espese, aproximadamente 3 minutos. Unte 1/4 de taza de salsa sobre aproximadamente 1 1/4 libras de salmón cocido; espolvorear con semillas de sésamo.

e) Coloque el salmón en una bandeja para hornear con los champiñones y las coles de Bruselas; ase a temperatura ALTA a 6 pulgadas del fuego hasta que el glaseado se haya espesado, aproximadamente 2 minutos.

f) Divida el arroz integral en 4 tazones. Cubra uniformemente con salmón, coles de Bruselas, champiñones y zanahorias cerillas. Rocíe con la salsa restante; sirva con rodajas de lima.

11. Pollo asado en cuartos de arce

INGREDIENTES

- 2 cucharadas de aceite de oliva

- 2 cuartos grandes de pollo o 4 muslos de pollo, secados y frotados con sal (se prefiere kosher)

- 2 zanahorias, peladas y cortadas en cuartos

- 1 papa grande, pelada y cortada en cubos

- 1 cebolla pequeña, en rodajas

- 6 dientes de ajo sin pelar

- 1 cucharadita de sal (se prefiere kosher)

- 2 cucharadas de sirope de arce puro

- 1 cucharada de hojas frescas de tomillo

INSTRUCCIONES

a) Precaliente el horno a 425F / 220C. Tenga lista una cazuela pequeña o una sartén de 8x8.

b) En una sartén grande a fuego medio, caliente 1 cucharada de aceite. Una vez caliente, agregue los trozos de pollo con la piel hacia abajo y dórelos durante 5 minutos. Voltee y dore el otro lado durante 5 minutos.

c) Mientras tanto, en un tazón grande agregue las zanahorias, las papas, la cebolla y el ajo y mezcle con la cucharada restante de aceite y sal. Extienda uniformemente en el fondo de la bandeja para hornear.

d) Una vez que el pollo haya terminado de dorarse, transfiéralo para que se siente encima de las verduras, con la piel hacia arriba. Cepille uniformemente con jarabe de arce y espolvoree con tomillo.

e) Hornee por 35-45 minutos o hasta que la temperatura interna alcance 165F / 74C. Si el pollo está listo antes que las verduras, retire el pollo y cocine las verduras otros 5-10 minutos o hasta que se ablanden.

12. Rollitos de filete de espinacas y alcachofas

INGREDIENTES

- 1 libra de filete de falda

- 1 15.5 onzas lata de corazones de alcachofa, escurridos y picados

- 2 c. espinacas tiernas, picadas

- 2 dientes de ajo picados

- 1 c. ricotta

- 1/2 taza Cheddar blanco rallado

- sal kosher

- Pimienta negra recién molida

DIRECCIONES

a) Precalienta el horno a 350 °. En una tabla de cortar, filete de mariposa para que quede un rectángulo largo que quede plano.

b) En un tazón mediano, combine alcachofas, espinacas, ajo, ricotta y queso cheddar y sazone generosamente con sal y pimienta.

c) Unte el bistec con salsa de espinacas y alcachofas. Enrolle bien el bistec, luego córtelo en rodajas y hornee hasta que el bistec esté bien cocido al punto deseado, de 23 a 25 minutos para el medio. Sirva con verduras aliñadas.

13. Pasta con berenjena, burrata y menta

Ingredientes

- 1/4 taza de aceite de oliva extra virgen

- 1 cucharada de pimiento rojo triturado

- 2 dientes de ajo, en rodajas finas

- 1 berenjena grande, cortada en cubos de 1 pulgada (aproximadamente 2 tazas)

- 1 libra de pasta rigatoni, ziti u orecchiette cruda

- 8 onzas de queso Burrata o mozzarella fresco

- 1/2 taza de menta fresca desgarrada, y más para servir

- 1 cucharadita de ralladura de limón, más 1 cucharada. jugo de limón fresco (de 1 limón)

a) Caliente el aceite en una sartén grande a fuego medio. Agregue el pimiento rojo triturado y el ajo; cocine hasta que esté fragante, aproximadamente 2 minutos. Agregue la berenjena y cocine, revolviendo ocasionalmente, hasta que se dore, aproximadamente 20 minutos.

b) Mientras tanto, cocine la pasta en agua hirviendo con sal de acuerdo con las instrucciones del paquete para al dente. Escurre la pasta, reservando 1 taza de agua de cocción. Coloque la pasta cocida en un tazón para servir; agregue la mezcla de berenjena. Agregue lentamente el agua de cocción reservada, revolviendo para cubrir. Corte la burrata fresca en trozos sobre el tazón (para atrapar la crema del queso) y agregue menta fresca, ralladura de limón y jugo de limón. Mezcle para combinar. Agregue sal al gusto, si lo desea. Cubra las porciones con menta adicional.

14. Albóndigas estofadas y puré de papas

Ingredientes

Para las albóndigas

- 1 libra de carne molida

- 1 libra de carne de cerdo molida

- 2 huevos grandes

- ½ taza de pan rallado

- ½ taza de queso parmesano rallado

- 1 cucharadita de sal

- $\frac{1}{2}$ cucharadita de pimienta negra

- $\frac{1}{2}$ cucharadita de hojuelas de pimiento rojo triturado

- $\frac{1}{4}$ taza de perejil fresco picado

- 1 cucharada de orégano fresco picado

- 2 dientes de ajo picados

- 3 cucharadas de aceite de oliva

Para la salsa

- 1 chalota mediana picada

- 2 dientes de ajo picados

- 3 cucharadas de harina

- 2 tazas de caldo de pollo o res

- $\frac{1}{2}$ cucharadita de sal

- $\frac{1}{2}$ cucharadita de pimienta negra

- 2 cucharaditas de salsa Worcestershire

- Para el puré de patatas con ajo asado

- 4 papas grandes para hornear peladas y cortadas en cubitos

- 5 cucharadas de mantequilla sin sal

- $\frac{1}{4}$ taza de suero de leche

- 1 cucharadita de sal

- $\frac{3}{4}$ cucharadita de pimienta negra

- $\frac{1}{2}$ taza de queso parmesano rallado

- 8 dientes de ajo pelados

- 1 cucharada de aceite de oliva

Para la col rizada asada

- 4 tazas de col rizada fresca picada

- 2 cucharadas de aceite de oliva

- $\frac{1}{2}$ cucharadita de sal

- $\frac{1}{2}$ cucharadita de pimienta negra

- $\frac{1}{2}$ cucharadita de hojuelas de pimiento rojo triturado

Instrucciones

a) Precaliente el horno a 375 ° F.

b) Para hacer las albóndigas, en un tazón grande combine la carne molida, los huevos, el pan rallado, el queso parmesano, la sal, la pimienta, las hojuelas de pimiento rojo, el perejil, el orégano y el ajo. Revuelva con las manos hasta que esté uniformemente combinado. Forme bolas pequeñas con la carne del tamaño de pelotas de golf (pero un poco más pequeñas). Caliente una olla grande a fuego medio alto. Agrega el aceite de oliva y dora las albóndigas en tandas. Cocine durante aproximadamente 3 a 4 minutos por el primer lado, o hasta que esté crujiente y dorado y luego dé la vuelta y cocine por otros 2 a 3 minutos. Transfiera a un plato y continúe cocinando el resto de las albóndigas.

c) Una vez que estén todos cocidos, retire todo menos 1 cucharada de aceite de oliva de la olla. Agregue la chalota y el ajo y saltee durante unos 5 minutos o hasta que estén suaves. Agregue la harina y cocine por un minuto. Vierta lentamente, mientras bate constantemente, el caldo de pollo hasta que el roux se haya disuelto por completo. Baje el fuego y cocine hasta que esté burbujeante y espeso. Sazone con sal, pimienta y salsa Worcestershire. Baje la llama al mínimo posible y devuelva las albóndigas a la olla, colocándolas en la salsa. Cocine a fuego lento durante unos 15 a 20 minutos, semicubierto con una tapa.

d) Para hacer las patatas, envuelva los dientes de ajo en papel de aluminio con el aceite de oliva y una pizca de sal y pimienta negra. Ase en el horno durante unos 20 a 25 minutos. Coloca las papas en una olla mediana y cúbrelas con agua fría. Deje hervir y cocine durante unos 15 a 20 minutos o hasta que estén tiernos. Escurrir y volver a poner en la olla. Agregue la mantequilla, el suero de leche, la sal, la pimienta, el ajo asado y el parmesano. Triturar hasta que quede suave. Mantener caliente en la estufa a fuego lento.

e) Para hacer la col rizada, coloque la col rizada en una bandeja para hornear y mezcle con aceite de oliva, sal, pimienta y hojuelas de pimiento rojo. Extienda en una capa uniforme y ase durante unos 10 a 15 minutos o hasta que esté carbonizado y crujiente.

f) Para servir, coloque las papas en los platos y cubra con la col rizada asada. Coloque algunas albóndigas encima de la col rizada y vierta una cuchara con salsa. Adorne con perejil fresco picado encima. ¡Disfrutar!

15. Pasta de pollo de compromiso

Ingredientes

- 6 onzas de espaguetis secos

- 4 cucharadas de mantequilla sin sal

- 10 ramitas de tomillo fresco

- 10 onzas de champiñones en rodajas

- pimienta negra recién molida

- sal

- 2 pechugas de pollo pequeñas

- 2 cucharaditas de aceite de oliva

- 1/2 taza de vino blanco seco

- 4 onzas de queso crema, ablandado

Instrucciones

a) Ponga a hervir una olla grande de agua con sal y cocine los espaguetis.

b) Mientras tanto, en una sartén grande que no sea antiadherente, derrita la mantequilla y el tomillo a fuego medio.

c) Agregue los champiñones en rodajas a la sartén y revuelva para cubrirlos con mantequilla. Déjalos cocer unos minutos sin tocarlos para que se forme una agradable costra. Revuelva y repita hasta que los champiñones estén dorados. Tardará unos 15 minutos.

d) Con una espumadera, retire los champiñones de la sartén, dejando la mantequilla y el tomillo en la sartén. Agrega el aceite a la sartén.

e) Sal y pimienta a ambos lados de las pechugas de pollo.

f) Suba el fuego a medio-alto y dore las pechugas de pollo por ambos lados en la misma sartén en la que estaban los champiñones. Nuevamente, deje cocinar sin molestar para que se forme una costra agradable.

Si el pollo se pega a la sartén, es porque el primer lado no ha terminado de dorarse. Se soltará cuando esté dorado.

g) Retire el pollo de la sartén y tápelo para mantenerlo caliente.

h) Baje el fuego a bajo y agregue todo el vino.

i) Deje que el vino se cocine un poco mientras raspa el fondo de la sartén con una cuchara de madera para incorporar todos los trozos marrones al vino.

j) Corte el queso crema en cuadritos y colóquelo en un tazón grande.

k) Deseche las ramitas de tomillo de la sartén y luego vierta el vino caliente sobre el queso crema y revuelva hasta que se derrita. Puede haber algunos trozos pequeños, pero la pasta caliente los disolverá.

l) Cuando la pasta esté lista, escurrirla y verterla inmediatamente sobre la mezcla de vino y queso crema. Mezcle los fideos para derretir y distribuya uniformemente la salsa de queso crema.

m) Revuelva los champiñones en el tazón de pasta.

n) Cortar el pollo en rodajas y servir encima.

16. Surf y césped para dos

INGREDIENTES

sirve 2

Para los filetes y condimentos:

- 2 filetes de filete mignon de 8 oz, cortados de 2 "de grosor

- 3/4 cucharada de sal de roca

- 1-1 / 2 cucharaditas de granos de pimienta negra

- 1/2 cucharadita de ajo picado seco

- 1/2 cucharadita de cebolla picada seca

- gran pizca de semillas de hinojo

- pizca pequeña de hojuelas de ají rojo

- rociar aceite de oliva virgen extra

- 2 cucharadas de mantequilla

Para la salsa sartén:

- 1 cucharada de chalota picada

- 1 diente de ajo machacado y pelado

- 1 ramita de romero fresco

- 1/2 taza de vino tinto, como cabernet

- 1 taza de caldo de res bajo en sodio

- 1 cucharada de mantequilla

- Para las vieiras:

- 1 cucharada de mantequilla

- 1 cucharada de aceite de oliva virgen extra

- 6 vieiras grandes

- sal y pimienta

DIRECCIONES

a) Coloque el bistec en un plato sobre la encimera para que se caliente durante unos 30 minutos antes de comenzar a cocinar. Precaliente el horno a 400 grados.

b) Para los filetes: agregue sal de roca, granos de pimienta, ajo seco, cebolla seca, hinojo y hojuelas de ají rojo a un mortero y luego triture los condimentos. Alternativamente, puede usar un molinillo de especias o usar su salsa de carne favorita comprada en la tienda. Rocíe la parte superior de los bistecs con aceite de oliva virgen extra y luego espolvoree generosamente un poco de especias y frótelos en los bistecs. Repita en el otro lado.

c) Caliente una sartén grande de hierro fundido para horno o de fondo grueso a fuego medio-alto hasta que esté muy caliente y luego agregue la mantequilla. Una vez derretido, agregue los filetes y luego dore hasta que se forme una costra dorada en el fondo, 2 minutos. Voltee los bistecs, luego coloque la sartén entera en el horno y ase durante 10 minutos para que estén cocidos a un nivel medio (ajuste el tiempo de asado hacia arriba o hacia abajo según el grosor de sus bistecs; los nuestros tenían 2 "de grosor). Retire los bistecs a un plato para que descansen mientras prepara el resto. del plato.

d) Para la salsa de la sartén: Coloque la sartén caliente nuevamente a fuego medio-alto, luego agregue las chalotas y saltee durante 30 segundos. Agregue el romero, el ajo y el vino y luego cocine a fuego lento hasta que el vino se reduzca a la mitad. Agregue el caldo de carne y luego cocine a fuego lento hasta que la salsa se espese y se reduzca, 7-9 minutos. Agregue la mantequilla, pruebe y luego agregue sal y pimienta si es necesario, y luego reserve.

e) Para las vieiras: seque las vieiras entre capas de toallas de papel y luego sazone con sal y pimienta por ambos lados. Derrita la mantequilla y el aceite de oliva virgen extra en una sartén grande a fuego medio-alto, luego agregue las vieiras y dore durante 90 segundos. Voltee y luego dore durante 90 segundos más.

f) Coloque los filetes y las vieiras en dos platos, luego rocíe la salsa sartén sobre los filetes y sirva.

17. Cazuela de fideos con langosta

INGREDIENTES

- 2 langostas frescas

- 3 cucharadas sal

- 1/2 cucharadita sal

- 3 cucharadas manteca

- 1 chalote

- 1 cucharada. pasta de tomate

- 3 dientes de ajo

- 1/4 taza brandy

- 1/2 taza crema espesa

- cucharadita pimienta negra recién molida

- 1/2 libra de fideos de huevo

- 1 cucharada. jugo de limon fresco

- 6 ramitas de tomillo

DIRECCIONES

a) Cocina las langostas:

b) Llene un recipiente grande hasta la mitad con hielo y agua y reserve. Ponga a hervir una olla grande con agua y 3 cucharadas de sal y sumerja las langostas, de cabeza, en el agua con unas pinzas de mango largo. Reduzca el fuego a bajo y cocine, tapado, durante 4 minutos. Escurre las langostas y colócalas en el baño de hielo preparado para que se enfríen. Romper las cáscaras y quitar la cola y la carne de las garras. Reserva las conchas. Corte la carne de la cola en medallones de 1/2 pulgada de grosor y la carne de las garras en trozos grandes y reserve.

c) Hornea las cazuelas:

d) Precaliente el horno a 350 ° F. Cubra ligeramente cuatro fuentes para hornear con capacidad para 1 taza o una fuente para hornear redonda de 9 pulgadas con 1 cucharada de mantequilla y reserve. Derrita la mantequilla restante en una sartén mediana a fuego medio. Agregue la chalota y cocine hasta que esté suave. Agregue las cáscaras reservadas, la pasta de tomate y el ajo y cocine, revolviendo continuamente, durante 5 minutos. Aleja la sartén del fuego y agrega el brandy. Regrese al fuego y lleve la mezcla a ebullición, batiendo continuamente. Reduzca el fuego a medio bajo, agregue 1 1/2 tazas de agua y cocine a fuego lento hasta que espese un poco, aproximadamente 15 minutos. Cuele la mezcla y agregue la crema, la sal restante y la pimienta. Agregue los fideos de huevo, la carne de langosta y el jugo de limón y revuelva para cubrir. Divida la mezcla uniformemente entre los platos para hornear preparados, cubra con papel de aluminio, y hornee hasta que la langosta esté bien cocida y los fideos estén calientes, aproximadamente 20 minutos. Adorne con ramitas de tomillo y sirva inmediatamente.

18. Risotto con pollo y guisantes

Ingredientes

- 1 cucharada de aceite de oliva

- $\frac{1}{4}$ de taza de cebolla picada

- 1 diente de ajo picado

- $\frac{1}{2}$ taza de arroz arborio crudo

- 2 $\frac{1}{4}$ tazas de caldo de pollo o verduras

- $\frac{1}{2}$ taza de guisantes pequeños o regulares congelados en paquetes sueltos

- 2 cucharadas de zanahoria rallada en trozos grandes

- ⅔ taza de pollo cocido desmenuzado

- 1 taza de espinaca fresca, rallada

- 2 cucharadas de queso parmesano rallado (1 onza)

- 1 cucharadita de tomillo fresco cortado en tiras

a) En una cacerola grande caliente el aceite a fuego medio. Agrega la cebolla y el ajo; cocine hasta que la cebolla esté tierna. Agrega el arroz crudo. Cocine y revuelva unos 5 minutos o hasta que el arroz esté dorado.

b) Mientras tanto, en una cacerola mediana, hierva el caldo; reduzca el fuego para mantener el caldo hirviendo a fuego lento. Agregue con cuidado 1/2 taza de caldo a la mezcla de arroz, revolviendo constantemente. Continúe cocinando y revolviendo a fuego medio hasta que se absorba el líquido. Agregue òtra 1/2 taza de caldo a la mezcla de arroz, revolviendo constantemente. Continúe cocinando y revolviendo hasta que se absorba el líquido. Agregue otra 1/2 taza de caldo, 1/4 taza a la vez, revolviendo constantemente hasta que el caldo se haya absorbido. (Esto debería tomar de 18 a 20 minutos en total).

c) Agregue el caldo restante, los guisantes y la zanahoria. Cocine y revuelva hasta que el arroz esté ligeramente firme (al dente) y cremoso.

d) Agregue el pollo, las espinacas, el queso parmesano y el tomillo; calor a través. Servir inmediatamente.

19. Cordero con costra de mostaza

INGREDIENTES

- 1 costilla de cordero asado de Nueva Zelanda (costillar de cordero), 8 costillas

- sal y pimienta

- 3 cucharadas Mostaza de Dijon con semillas

- 2 cucharadas. hojas de albahaca o menta fresca picadas

- 4 cucharadas chalotes picados

- 1/4 taza panko (pan rallado japonés)

- 3 papas rojas pequeñas

- 2 cucharadas. agua

- 1/2 manojo de brócoli rabe

- 1 cucharadita aceite de oliva

- 3 cucharadas crema agria reducida en grasa

a) Precaliente el horno a 425 grados. Coloque el cordero, con la carne hacia arriba, en una fuente para asar pequeña. Espolvoree el cordero con 1/4 de cucharadita de sal y pimienta negra recién molida. En un tazón pequeño, mezcle la mostaza, la menta y 2 cucharadas de chalotas. Reserva 2 cucharadas de la mezcla de mostaza para la salsa; esparza el resto sobre el cordero. Dale palmaditas en panko para cubrir.

b) Ase el cordero en el horno de 25 a 30 minutos a fuego medio (140 grados en el termómetro para carnes) o hasta que esté cocido deseado.

c) Mientras tanto, caliente una cacerola de 4 cuartos de galón de agua a fuego alto. En un tazón mediano apto para microondas, combine las papas y 2 cucharadas de agua fría. Cubra con una envoltura de plástico ventilada y cocine en el microondas a temperatura alta durante 4 minutos o hasta que esté tierno con un tenedor. Drenar; mezcle con 1/8 de cucharadita de cada sal y pimienta negra recién molida. Manténgase caliente.

d) Agregue el brócoli rabe al agua hirviendo en una cacerola y cocine por 3 minutos. Escurrir bien; seque la sartén. En la misma cacerola, caliente el aceite y las 2 cucharadas de chalotas restantes a fuego medio-alto; agregue el brócoli rabe y cocine 2 minutos, revolviendo frecuentemente. Mezcle con 1/8 de cucharadita de sal y pimienta negra recién molida. Manténgase caliente.

e) Agregue la crema agria a la mezcla de mostaza reservada. Corte el cordero en porciones de 2 costillas y colóquelo en 2 platos con papas y brócoli rabe. Sirva el cordero con salsa de crema agria.

20. Pizza de proscuitto y rúcula

INGREDIENTES

- 1 libra de masa para pizza, a temperatura ambiente, dividida en 2 partes iguales

- 2 cucharadas de aceite de oliva

- 1/2 taza de salsa de tomate

- 1 1/2 tazas de queso mozzarella rallado (6 onzas)

- 8 lonchas finas de prosciutto

- Unos puñados grandes de rúcula

INSTRUCCIONES

a) Si tiene una piedra para pizza, colóquela en una rejilla en el medio del horno. Caliente el horno a 550 ° F (o la temperatura máxima del horno) durante al menos 30 minutos.

b) Si transfiere la pizza a una piedra en el horno, ensamble sobre una cáscara o tabla de cortar bien enharinada. De lo contrario, ensamble en la superficie sobre la que cocinará (papel pergamino, bandeja para hornear, etc.). Trabajando con una pieza de masa a la vez, enróllela o estírela en un círculo de 10 a 12 pulgadas. Cepille los bordes de la masa con 1 cucharada de aceite de oliva. Unte la mitad de la salsa de tomate sobre el resto de la masa. Espolvorea con aproximadamente 1/4 del queso. Coloque 4 rebanadas de jamón para que cubran uniformemente la masa. Espolvorea con otro 1/4 del queso.

c) Hornee la pizza hasta que los bordes estén ligeramente dorados y el queso burbujee y se dore en puntos, aproximadamente 6 minutos a 550 ° F. Retirar del horno a una tabla de cortar, esparcir la mitad de la rúcula por encima, cortar y servir inmediatamente. Repita con la masa restante y las coberturas.

21. Paella de pollo, camarones y chorizo

Ingredientes

- $\frac{1}{2}$ cucharadita de hebras de azafrán, trituradas

- 2 cucharadas de aceite de oliva

- 1 libra de muslos de pollo deshuesados y sin piel, cortados en trozos de 2 pulgadas

- 4 onzas de chorizo a la española cocido y ahumado, en rodajas

- 1 cebolla mediana picada

- 4 dientes de ajo picados

- 1 taza de tomates rallados gruesos (aproximadamente 1 libra) *

- 1 cucharada de pimentón dulce ahumado

- 6 tazas de caldo de pollo reducido en sodio

- 2 tazas de arroz español de grano corto, como bomba, Calasparra o Valencia

- 12 camarones grandes, pelados y desvenados

- 8 onzas de guisantes congelados, descongelados

- Aceitunas verdes picadas (opcional)

- Perejil italiano picado

a) En un tazón pequeño, combine el azafrán y 1/4 taza de agua caliente; déjelo reposar 10 minutos.

b) Mientras tanto, en una paellera de 15 pulgadas calienta el aceite a fuego medio-alto. Agregue el pollo a la sartén. Cocine, dando vuelta ocasionalmente, hasta que el pollo esté dorado, aproximadamente 5 minutos. Agrega el chorizo. Cocine 1 minuto más. Transfiera todo a un plato. Agregue la cebolla y el ajo a la sartén. Cocine y revuelva durante 2 minutos. Agrega los tomates y el pimentón. Cocine y revuelva durante 5 minutos más o hasta que los tomates estén espesos y parezcan pasteles.

c) Regrese el pollo y el chorizo a la sartén. Agregue el caldo de pollo, la mezcla de azafrán y 1/2 cucharadita. sal; llevar a ebullición a fuego alto. Agregue el arroz a la sartén, revolviendo una vez para distribuirlo uniformemente. Cocine, sin revolver, hasta que el arroz haya absorbido la mayor parte del líquido, unos 12 minutos. (Si su sartén es más grande que su quemador, gírelo cada pocos minutos para asegurarse de que el arroz se cocine de manera uniforme). Reduzca el fuego a bajo. Cocine, sin revolver, de 5 a 10 minutos más hasta que se absorba todo el líquido y el arroz esté al dente. Cubra con camarones y guisantes. Enciende el fuego a alto. Cocine sin revolver, de 1 a 2 minutos más (los bordes deben verse secos y se debe formar una costra en el fondo). Eliminar. Cubra la sartén con papel de aluminio. Deje reposar 10 minutos antes de servir. Cubra con aceitunas, si lo desea, y perejil.

22. Cordero al estragón

- 4 libras de pierna de cordero

- 1 cucharadita de estragón

- 1 cucharada de aceite

- 1 cebolla cortada en rodajas

- 1 1/4 taza de vino blanco seco

- 1 x sal y pimienta al gusto
- 2/3 taza de crema

a) Despellejar la pierna de cordero y recortar toda la grasa exterior.

b) Marque la carne profundamente con un patrón entrecruzado y rellene las ranuras con estragón. Frote la carne con el aceite y cúbrala con la cebolla.

c) Colocar en un plato adecuado para marinar y verter el vino blanco por encima.

d) Agregue sal y pimienta al gusto y deje marinar durante aproximadamente 2 horas, rociando ocasionalmente.

e) Ase el cordero con la marinada, a 325 grados F. hasta que esté listo; hilvanar con frecuencia.

f) Diez minutos antes de que la carne termine de cocinarse, vierta la marinada y los jugos de la carne en una cacerola.

g) Reduzca la salsa a la mitad de su cantidad original hirviéndola vigorosamente.

h) Corte la carne en rodajas finas y agregue los jugos de la carne a la marinada.

i) Coloque la carne en un plato para servir y manténgala caliente.

Retire la salsa del fuego, agregue la crema y vuelva a calentar lentamente hasta que tenga una consistencia de espesor medio. Vierta la salsa sobre el cordero y manténgalo caliente hasta que esté listo para servir.

23. Arroz español con ternera

- 1 libra de carne molida magra

- 1/2 taza de cebolla; Picado, 1 Md

- 1 taza de arroz; Regular, Crudo

- 2/3 taza de pimiento verde; Cortado

- 16 oz de tomates guisados; 1 Cn

- 5 cada rebanadas de tocino; Crujiente, Desmenuzado

- 2 tazas de agua
- 1 cucharadita de chile en polvo
- 1/2 cucharadita de orégano
- 1 1/4 cucharadita de sal
- 1/8 cucharadita de pimienta

a) Cocine y revuelva la carne y la cebolla en una sartén grande hasta que la carne esté dorada. Escurre el exceso de grasa.

b) Agregue el arroz, el pimiento verde, los tomates, el tocino, el agua, el chile en polvo, el orégano, la sal y la pimienta.

c) Para cocinar en una sartén:

d) Caliente la mezcla hasta que hierva, luego reduzca el fuego y cocine a fuego lento, tapado, revolviendo ocasionalmente, hasta que el arroz esté tierno, aproximadamente 30 minutos. (Se puede agregar una pequeña cantidad de agua si es necesario).

e) Para cocinar en el horno:

f) Vierta la mezcla en una cazuela de 2 cuartos de galón sin engrasar.

g) Cubra y hornee a 375 grados F, revolviendo ocasionalmente, hasta que el arroz esté tierno, aproximadamente 45 minutos.

h) Servir caliente.

24. Pollo parmesano

- 1/2 taza de pan rallado fino y seco

- 1/4 taza de queso parmesano rallado
- 4 pechugas de pollo deshuesadas
- 1 ea Huevo batido
- 3 cucharadas de mantequilla
- 1 cada 8 oz. lata de salsa de tomate
- 1/2 taza de agua
- 1/4 cucharadita de orégano entero seco 1 taza de queso mozzarella rallado

a) Combine el pan rallado y el queso parmesano.

b) Sumerja el pollo en el huevo y cúbralo bien.

c) Precaliente la sartén a 350 grados.

d) Agregue la mantequilla y cocine el pollo durante aproximadamente 3 minutos por cada lado.

e) Combine la salsa de tomate, el agua y el orégano; vierta sobre el pollo.

f) Reduzca el fuego a 220 grados, tape y cocine de 25 a 30 minutos.

g) Espolvorea con queso mozzarella; tape y cocine hasta que el queso se derrita.

25. Filetes de salmón con salsa de vino blanco

- 8 oz (2) filetes de salmón *

- 2 cucharaditas de salsa de vino blanco de aceite de cocina:

- 1 cucharada de mantequilla o margarina

- 1 cucharadita de maicena
- 1 x pizca de pimienta blanca
- 1/2 taza de media crema ligera
- 1 ea Lge. Yema de huevo batida
- 2 tb Vino Blanco Seco
- 1 x uvas verdes sin semillas (opc.)

a) Precaliente una fuente para dorar para microondas de 6 1/2 pulgadas al 100% de potencia durante 3 minutos. Agregue aceite de cocina a la fuente para dorar; girar para cubrir el plato.

b) Coloque los filetes de salmón en la fuente para dorar. Microondas, tapado, encendido

c) 100% de potencia durante unos 30 segundos. Dar la vuelta a los filetes de salmón y

d) microondas, tapado, al 50% de potencia durante unos 3 minutos o hasta que el salmón se desmenuce fácilmente cuando se prueba con un tenedor.

e) Deje reposar los filetes de salmón tapados mientras prepara la salsa de vino.

f) Para la salsa de vino: En una medida de 4 tazas, cocine en el microondas la mantequilla o margarina, sin tapar, al 100% de potencia durante 45 segundos a 1 minuto o hasta que se derrita. Agregue la maicena y la pimienta blanca. Incorpora la crema ligera.

g) Cocine en el microondas, sin tapar, al 100% de potencia durante 2 a 3 minutos o hasta que la mezcla esté espesa y burbujeante, revolviendo cada minuto.

h) Agrega la mitad de la mezcla de crema caliente a la yema de huevo batida.

i) Regrese todo a la medida de 4 tazas. Cocine en el microondas, sin tapar, al 50% de potencia durante 1 minuto, revolviendo cada 15 segundos hasta que la mezcla esté suave. Agregue el vino blanco seco.

j) Transfiera los filetes de salmón a una fuente y vierta la salsa de vino encima. Adorne con uvas verdes sin semillas, si lo desea.

26. Fettuccine con Nata, Albahaca y Romano

- 4 rebanadas de tocino cada una; picado grueso

- 4 ea cebollas verdes; Cortado

- 1/2 taza de nata para montar

- 1/2 taza de queso parmesano; recién rallado

- 1/3 taza de albahaca; picado fresco

- 1/2 libra de fettuccine

- 1 x sal y pimienta

- 1 x queso parmesano; recién rallado

a) Cocine el tocino en una sartén mediana a fuego medio hasta que comience a dorarse. Agregue las cebollas verdes y revuelva hasta que se ablanden, aproximadamente 1 minuto. Agregue la crema y cocine a fuego lento hasta que comience a espesar, aproximadamente 1 minuto. Incorpora el queso parmesano y la albahaca.

b) Mientras tanto, cocine los fettuccine en una olla grande de agua hirviendo con sal hasta que estén tiernos pero aún firmes al mordisco (al dente), revolviendo ocasionalmente. Escurrir bien.

c) Regrese a la olla caliente. Agregue la salsa y revuelva para cubrir. Condimentar con sal y pimienta.

d) Servir inmediatamente; pasar el parmesano rallado.

27. Muslos de pollo crujientes

- 8 x muslos de pollo, sin piel *

- 1 1/2 taza de pan rallado

- 1/4 taza de queso parmesano rallado

- 2 tb perejil fresco picado

- 1/4 cucharadita de ajo en polvo

- Sal y pimienta para probar

- 1/3 taza de leche desnatada

a) Enjuague el pollo con agua fría y séquelo.

b) Combine el pan rallado, el queso parmesano, el perejil, el ajo en polvo, la sal y la pimienta; revuelva bien.

c) Sumerja las baquetas en leche descremada y luego póngalas en la mezcla de pan rallado, cubriendo bien.

d) Coloque las baquetas en una fuente para hornear de 10x6x2 pulgadas rociada con Pam.

e) Hornee a 350 grados F. durante 1 hora.

28. Filetes de salmón con salsa de pepino y eneldo

- 2 bistecs de salmón
- 1/4 taza de vino blanco seco
- 1   ea hoja de laurel
- 2   tb Eneldo fresco
- 1 c / u Tallo de apio, picado Salsa de pepino y eneldo:
- 1/4 taza de yogur natural bajo en grasa
- 1/4 taza de mayonesa ligera
- 1 ea Pepino rallado pequeño sin semillas
- 1 ea cebolla pequeña, pelada y rallada

- 1/8 cucharadita de mostaza seca

- 1/4 taza de eneldo recién picado

- Sal y pimienta para probar

a) Coloque los bistecs en un plato apto para microondas con el extremo grueso hacia afuera. Mezcle el vino blanco, la hoja de laurel, el eneldo y el apio; esparce la mezcla uniformemente sobre los filetes de salmón.

b) Cubra y cocine en el microondas a temperatura alta durante 4-6 minutos.

c) Sirve con salsa de pepino y eneldo.

d) Para salsa de pepino y eneldo:

e) Combine el yogur, la mayonesa, el pepino, la cebolla, la mostaza, el eneldo, la sal y la pimienta en un procesador de alimentos y mezcle bien.

f) Vierta en un tazón para servir; refrigere de 1 a 2 horas antes de servir.

29. Ensalada De Taco De Pavo

- 3 tortillas de harina *

- 1/2 libra de pavo molido

- 1/3 taza de agua

- 1 cucharadita de chile en polvo

- 1/2 cucharadita de sal

- 1/4 cucharadita de ajo en polvo
- 1/4 cucharadita de pimienta de cayena
- 8 oz de frijoles, escurridos
- 5 c de lechuga rallada
- 1 tomate mediano picado
- 1/2 taza de queso Monterey Jack rallado
- 1/4 taza de cebolla picada
- 1/4 taza de aderezo Thousand Island
- 1/4 taza de crema agria (decorar)
- 4 aceitunas maduras deshuesadas, cortadas en rodajas (decorar)

a) Precaliente el horno a 400 grados F.

b) Corte las tortillas en 12 gajos o tiras de 3x1 / 4 pulgadas y colóquelas en un molde para rollos de gelatina sin engrasar de 15 1/2 x 10 1/2 x 1 pulgada.

c) Hornee de 6 a 8 minutos, revolviendo al menos una vez, hasta que estén doradas y crujientes; frio.

d) Cocine el pavo molido en una sartén antiadherente, revolviendo con frecuencia, hasta que se dore. Agregue el agua, el chile en polvo, la sal, el ajo en polvo, el pimiento rojo,

e) y frijoles. Calentar hasta que hierva; reducir el calor. Cocine a fuego lento sin tapar de 2 a 3 minutos, revolviendo ocasionalmente, hasta que se absorba el líquido.

f) Deja enfriar 10 minutos.

g) Mezcle la lechuga, el tomate, el queso y la cebolla en un tazón grande; lanzar con el

h) Aderezo mil islas; dividir entre 4 platos llanos. Cubra cada ensalada con aproximadamente 1/2 taza de mezcla de pavo.

i) Coloque las tortillas alrededor de la ensalada y decore con crema agria y aceitunas.

30. Gallina de Cornualles con relleno de Kasha

Categorías: Plato principal, Aves

- 2 gallinas de caza ea Rock Cornish
- 1/2 limón
- Sal y pimienta
- 4 tiras de tocino 3/4 taza de vino tinto Relleno de Kasha:
- 1 taza de granos de trigo sarraceno
- 1 un huevo (ligeramente batido)
- 2 c agua hirviendo
- 3 ea tiras de tocino (cortado en trozos)
- 4 tb mantequilla
- 1 cebolla mediana (picada)
- 1 diente de ajo (picado)
- 1/2 pimiento verde (picado)
- 1/4 libra de champiñones (picados)
- 1 cucharadita de orégano
- 1/2 cucharadita de salvia
- Sal y pimienta para probar

a) Frote las aves por dentro y por fuera con limón y espolvoree bien con sal y pimienta recién molida.

b) Precaliente el horno (450 grados F.).

c) Rellena las cavidades con el relleno de Kasha. Cierre la abertura con brochetas.

d) Coloque las aves, con la pechuga hacia arriba, sobre una rejilla en una bandeja para hornear abierta y cubra las pechugas con tocino. Déjelo enfriar durante 15 minutos.

e) Reduzca el fuego a 325 grados F. y agregue el vino tinto. Ase durante 35 a 40 minutos, rociando con frecuencia (como cada 15 minutos, si es posible); agregue más vino si es necesario.

f) Para el relleno de Kasha:

g) Mezclar los granos con el huevo batido; agregar a la sartén a fuego alto. Revuelva constantemente hasta que los granos se separen, luego agregue el agua hirviendo.

h) Tape la sartén, reduzca el fuego y cocine a fuego lento durante 30 minutos.

i) Mientras tanto, sofreír el tocino en otra sartén grande.

j) Cuando el tocino esté ligeramente dorado, empujar hacia un lado y agregar la mantequilla.

k) Deje que chisporrotee y agregue la cebolla, el ajo, el pimiento verde y los champiñones; revuelva constantemente.

l) Agregue orégano, salvia, sal y pimienta. Reduzca el fuego y agregue los granos cocidos. Mezclar bien, ajustar el condimento y retirar del fuego.

m) Kasha se llama con frecuencia grañones de trigo sarraceno. Se elabora con grano de trigo sarraceno y luego se tuesta, lo que le da un delicioso sabor a nuez.

n) Además de ser un sabroso relleno para aves, esta receta es una excelente guarnición en lugar de arroz, papas o fideos.

ENSALADAS ROMANTICAS

31. Ensalada Romance-in-a-Bowl

Ingrediente

- 4 tazas de lechugas verdes para bebés
- 1 zanahoria, pelada y en rodajas
- 2 cebollas verdes picadas
- 6 fresas, peladas y en rodajas
- 12 frambuesas frescas
- 1 cucharadita de ajo picado
- $\frac{1}{4}$ de taza de nueces picadas
- $\frac{1}{4}$ de taza de rodajas de almendras sazonadas

- $\frac{1}{4}$ de taza de grosellas secas

- $\frac{1}{4}$ taza de queso feta desmenuzado

- $\frac{1}{2}$ taza de picatostes sazonados

- $\frac{1}{2}$ taza de aderezo de vinagreta de hierbas para ensaladas, o al gusto

a) En un tazón grande, mezcle las hojas de ensalada, la zanahoria, las cebollas verdes, las fresas, las frambuesas, el ajo, las nueces, las rodajas de almendras, las grosellas y el queso feta. Dividir entre dos ensaladeras. Cubra cada tazón con algunos picatostes y sirva con aderezo de vinagreta.

Ensalada Rosada

Ingredientes

Ensalada

- 4 zanahorias enteras, usé moradas

- 1/3 de cebolla morada mediana, rebanada

- 1 remolacha grande

- 1 pomelo rosado, seccionado
- 1 puñado de pistachos picados

Vinagreta

- 1/2 taza de aceite de oliva
- 1/4 taza de vinagre de vino de arroz
- 1 cucharadita de mostaza
- 1 cucharadita de sirope de arce
- 1-2 dientes de ajo picados
- sal y pimienta para probar

Instrucciones

a) Corta las remolachas en rodajas medianas y colócalas en un recipiente apto para microondas, cúbrelas y micro hasta que estén tiernas. El mío tomó 6 1/2 minutos. Elijo no pelar la mía porque no me importa la piel, pero hago lo que te gusta.

b) Con un pelador de zanahorias, corte tiras largas de cada zanahoria hasta que llegues al centro y no puedas afeitar más. Guarde los núcleos para comerlos más tarde.

c) En un tazón grande coloque todos los ingredientes de su ensalada excepto los pistachos.

d) En otro tazón coloque todos los ingredientes del aderezo y bata hasta que esté emulsionado.

e) Cuando esté listo para servir la ensalada, mezcle con suficiente aderezo para cubrir y reserve el resto para la ensalada de mañana. Tenga en cuenta que si prepara la ensalada y la adereza con anticipación, las remolachas "sangrarán" por toda la ensalada y terminará en un rojo monocromático.

f) Espolvorea los pistachos y listo.

33. Ensalada verde mixta de primavera

- 2 ONZAS. Verduras mixtas
- 3 cucharadas Piñones, tostados
- 2 cucharadas. 5 minutos de vinagreta de frambuesa
- 2 cucharadas. Parmesano afeitado
- 2 rebanadas de tocino
- Sal y pimienta para probar

1. Cocine el tocino hasta que esté muy crujiente. Dejo que el mío se queme ligeramente en los bordes para darle a la ensalada un ligero agregado de notas amargas en algunos bocados.
2. Mida sus verduras y colóquelas en un recipiente que se pueda agitar.

3. Triture el tocino, luego agregue el resto de los ingredientes a las verduras. Agite el recipiente con la

tapa puesta para distribuir el aderezo y el contenido de manera uniforme.

4. ¡Sirve y disfruta!

34. Ensalada crujiente de tofu y bok choy

Tofu al horno

- 15 oz. El tofu extra firme
- 1 cucharada. Salsa de soja
- 1 cucharada. Aceite de sésamo
- 1 cucharada. Agua
- 2 cucharaditas Ajo molido
- 1 cucharada. Vinagre de vino de arroz
- Jugo 1/2 limón

Ensalada Bok Choy

- 9 oz. Bok Choy
- 1 tallo de cebolla verde
- 2 cucharadas. Cilantro picado
- 3 cucharadas Aceite de coco
- 2 cucharadas. Salsa de soja
- 1 cucharada. Sambal Olek

- 1 cucharada. Mantequilla de maní
- Jugo 1/2 lima
- 7 gotas de Stevia líquida

1. Comience presionando el tofu. Coloque el tofu en un paño de cocina y ponga algo pesado encima (como una sartén de hierro fundido). Tarda entre 4 y 6 horas en secarse, y es posible que deba reemplazar la toalla de cocina a la mitad.

2. Una vez que el tofu esté prensado, trabaje en su adobo. Combine todos los ingredientes para la marinada (salsa de soja, aceite de sésamo, agua, ajo, vinagre y limón).

3. Pica el tofu en cuadritos y colócalo en una bolsa plástica junto con la marinada. Deje marinar durante al menos 30 minutos, pero preferiblemente durante la noche.

4. Precaliente el horno a 350F. Coloque el tofu en una bandeja para hornear forrada con papel pergamino (o un silpat) y hornee durante 30-35 minutos.

5. Mientras se cocina el tofu, comience con la ensalada bok choy. Pica el cilantro y la cebolleta.

6. Mezcle todos los demás ingredientes (excepto el jugo de lima y el bok choy) en un tazón. Luego agregue el cilantro y la cebolleta. Nota: Puede calentar el aceite de coco en el microondas durante 10-15 segundos para permitir que se derrita.

7. Una vez que el tofu esté casi cocido, agregue jugo de limón al aderezo para ensaladas y mezcle.

8. Pique el bok choy en rodajas pequeñas, como si fuera repollo.

9. Retire el tofu del horno y ensamble su ensalada con tofu, bokchoy y salsa.

35. Ensalada de cerdo a la barbacoa

La ensalada
- 10 onzas. Cerdo desmenuzado
- 2 tazas de lechuga romana
- 1/4 taza de cilantro picado
- 1/4 pimiento rojo mediano, picado

La salsa
- 2 cucharadas. Pasta de tomate
- 2 cucharadas. + 2 cucharaditas Salsa de soja (o aminoácidos de coco)
- 1 cucharada. Mantequilla de maní cremosa
- 2 cucharadas. Cilantro picado
- Jugo y ralladura de 1/2 lima
- 1 cucharadita Cinco especias
- 1 cucharadita Pasta de curry rojo

- 1 cucharada. + 1 cucharadita Vinagre de vino de arroz
- 1/4 cucharadita Hojuelas de pimienta roja
- 1 cucharadita Salsa de pescado / 10 gotas de Stevia líquida Y 1/2 cucharadita. Extracto de mango

1. En un tazón, combine todos los ingredientes de la salsa (excepto el cilantro y la ralladura de lima).
2. Picar el cilantro y rallar una lima y agregar a la salsa.
3. Mezcle bien la salsa BBQ tailandesa y déjela a un lado. Con los dedos o un cuchillo, separe la carne de cerdo. Montar la ensalada y glasear el cerdo con un poco de salsa.

36. Ensalada de espinacas con pimiento rojo

- 6 tazas de espinaca
- 1/4 taza de aderezo ranch
- 3 cucharadas Queso parmesano
- 1 cucharadita Hojuelas de pimienta roja

1. En un tazón grande para mezclar, mida 6 tazas de espinaca.
2. Agregue 1/4 taza de aderezo Ranch y mézclelo con las espinacas. Luego, agregue 3 cucharadas.
Queso parmesano y 1 cdta. Hojuelas de pimienta roja.
Mezclar bien de nuevo

37. Ensalada de espinacas y nueces

- 2 libras de especias frescas
- Sal o Vege-Sal
- 10 cebolletas, en rodajas finas, incluidas aproximadamente 2 pulgadas del brote verde
- 1/4 taza de aceite de oliva extra virgen
- 1/4 taza de jugo de limón
- 1/4 de libra de nueces pecanas tostadas y saladas, picadas

1. Lave y seque las espinacas hasta que esté absolutamente seguro de que están limpias. ¡Las espinacas pueden contener mucha arena! Cuando esté

seguro de que está limpio y seco, póngalo en una ensaladera, espolvoréelo con un poco de sal, tal vez una cucharadita, y apriete las hojas suavemente con las manos. Verá que la espinaca se "desinfla" o se vuelve un poco flácida y reduce su volumen. Agrega las cebolletas al bol.

2. Vierta el aceite de oliva y mezcle bien la ensalada. Agregue el jugo de limón y revuelva nuevamente. Cubra con las nueces y sirva.

38. Actualizar ensalada

Ensalada
- 2 pimientos verdes medianos, cortados en tiras pequeñas
- 1 manojo grande de perejil picado
- 2/3 taza de achicoria desgarrada
- 2/3 taza de endivias rizadas picadas
- 2/3 taza de frisee picado
- 3 tomates, cada uno cortado en 8 gajos a lo largo
- 1/8 de cebolla morada grande y dulce, en rodajas finas
- 2 cucharadas de aceitunas negras picadas

Vendaje
- 1/4 taza de agua
- 1/2 taza de vinagre de estragón

- 1/2 cucharadita de sal o Vege-Sal
- 1 1/2 cucharadas de jugo de limón
- 1 cucharada de Splenda
- 1/8 cucharadita de melaza blackstrap

1. Ponga los pimientos, perejil, achicoria, escarola, frisé, tomates, cebolla y aceitunas en un bol grande y reserve.
2. En un recipiente aparte, combine el agua, el vinagre, la sal, el jugo de limón, la Splenda y la melaza. Vierta todo sobre la ensalada y mezcle.
3. Ponga todo en el refrigerador y déjelo reposar allí durante unas horas, revolviendo de vez en cuando si lo piensa.

Ensalada de California

- 4 tazas de lechuga romana cortada
- 4 tazas de lechuga de hoja roja, cortada
- 1 aguacate negro maduro
- 3 cucharadas de aceite de oliva extra virgen
- 2 cucharadas de jugo de limón
- Sal y pimienta
- 1/2 taza de brotes de alfalfa

1. Combine las lechugas romanas y de hoja roja en una ensaladera, luego pele el aguacate y córtelo en trozos pequeños. (Es más fácil sacar los trozos con una cuchara). Agregue el aguacate al tazón.
2. Mezcle la ensalada primero con el aceite, luego con el jugo de limón y finalmente con sal y pimienta al gusto. Cubra con los brotes y sirva.

40. Ensalada de jamón y melón

- 1/2 melón maduro
- 1/2 hondew maduro
- 8 onzas de prosciutto

1. Siembre y pele los melones y córtelos en trozos de 1 pulgada (o use un achicador de melones).
2. Picar el prosciutto, mezclar todo y servir.

41. Ensalada De Gorke

- 4 pepinos pelados, en rodajas finas
- 1 1/2 cucharadas de sal
- 1/4 taza de agua
- 3 cucharadas de vinagre de sidra
- 3 cucharadas de aceite
- 2 cucharadas de Splenda
- Pimienta

1. Pelar y cortar los pepinos en rodajas. Póngalos en un bol grande y espolvoree sal por encima. Agregue la sal a los pepinos, cubra y refrigere durante la noche.
2. Aproximadamente una hora antes de servir, saque los pepinos del refrigerador y exprima el agua, usando sus manos y trabajando en pequeños lotes. Las rodajas

pasarán de rígidas y opacas a blandas y casi translúcidas. Vierta el agua resultante.

3. Mezcle el agua, el vinagre, el aceite y Splenda, y sal y pimienta al gusto. Este es el "aderezo": debe ser ligero, picante y ligeramente dulce. Vierta esto sobre los pepinos y mézclelos. Refrigere hasta que esté listo para servir.

42. Ensalada de frijoles de colores

- 1 lata (14 1/2 onzas) de ejotes cortados
- 1 lata (14 1/2 onzas) de frijoles de cera cortados
- 1/2 taza de cebolla morada dulce picada
- 3/4 taza de Splenda
- 1 cucharadita de sal
- 1/2 cucharadita de pimienta
- 1/2 taza de aceite de canola
- 2/3 taza de vinagre de sidra

1. Escurre las judías verdes y las habichuelas, y mézclalas en un bol con la cebolla.
2. En un recipiente aparte, combine el Splenda, la sal, la pimienta, el aceite y el vinagre; vierta la mezcla sobre las verduras.
3. Déjelo macerar durante al menos varias horas; de la noche a la mañana no hará daño. Escurre la marinada y sirve.

43. Ensalada de col para dos

- 1 cabeza de col lombarda
- 1 zanahoria pequeña, rallada
- 1/4 de cebolla morada dulce, finamente picada
- Aderezo para ensalada de col

1. Usando la cuchilla para rebanar de un procesador de alimentos o un cuchillo afilado, triture el repollo y colóquelo en un tazón grande.

2. Agregue la zanahoria y la cebolla y mezcle con el aderezo. Admira y disfruta.

Confeti UnSlaw

- 2 tazas de col verde rallada
- 2 tazas de col lombarda rallada
- 1/2 pimiento rojo dulce, picado
- 1/2 pimiento verde picado
- 4 cebolletas, en rodajas, incluida la parte crujiente de la verde
- 1/3 CU P rallado de quilates
- 1 costilla de apio pequeña, en rodajas finas
- 2 cucharadas de perejil fresco picado

Mezcla

45. Ensalada Caponata

- 1/4 taza de aceite de oliva
- berenjena mediana, pelada y cortada en dados de 1/4 de pulgada
- cebolla morada pequeña, picada
- costilla de apio picada
- 2 dientes de ajo picados
- 2 tazas de tomates pera enlatados frescos o escurridos, picados
- 2 cucharadas de alcaparras
- 3 cucharadas de vinagre de vino tinto
- 2 cucharaditas de azúcar
- 1 cucharada de albahaca fresca picada o 1 cucharadita seca
- 1/2 cucharadita de sal

En una cacerola grande, calienta el aceite a fuego medio. Agrega la berenjena, la cebolla, el apio y el ajo. Tape y cocine hasta que las verduras se ablanden, unos 15 minutos. Agregue los tomates, tape y cocine 5 minutos más. Agregue las alcaparras, el vinagre, el azúcar, la albahaca y la sal y cocine a fuego lento, sin tapar, durante 5 minutos para permitir que se desarrollen los sabores.

Retire del fuego y deje enfriar un poco, luego transfiera a un tazón grande y refrigere hasta que se enfríe, aproximadamente 2 horas. Pruebe, ajustando los condimentos si es necesario. Sirva frío oa temperatura ambiente.

46. Ensalada de judías verdes y peras

- 1/4 taza de aceite de sésamo tostado
- 3 cucharadas de vinagre de arroz
- 2 cucharadas de mantequilla de almendras
- 2 cucharadas de salsa de soja
- 1 cucharada de néctar de agave
- 1 cucharadita de jengibre fresco rallado
- 1/8 de cucharadita de cayena molida
- 8 onzas de ejotes, recortados y cortados en trozos de 1 pulgada
- 1/4 taza de cebolla morada picada
- 2 peras maduras, sin corazón y cortadas en dados de 1/2 pulgada
- 1/4 taza de pasas doradas
- 4 a 6 tazas de lechugas mixtas

En una licuadora o procesador de alimentos, combine el aceite, el vinagre, la mantequilla de almendras, la salsa de soja, el néctar de agave, el jengibre y la pimienta de cayena. Procese para mezclar. Dejar de lado.

En una cacerola con agua hirviendo, sumerja las judías verdes y la zanahoria y cocine hasta que estén tiernas y crujientes, aproximadamente 5 minutos. Escurre y transfiere a un tazón grande. Agregue la cebolla, las peras, las almendras y las pasas. Agregue el aderezo y revuelva suavemente para combinar. Cubra una fuente para servir o platos individuales con las verduras para ensalada, coloque la mezcla de ensalada encima y sirva.

47. Ensalada de arándano y zanahoria

- 1 libra de zanahorias, ralladas
- 1 taza de arándanos secos endulzados
- 1/2 taza de nueces tostadas
- 2 cucharadas de jugo de limón fresco
- 3 cucharadas de aceite de nueces tostadas
- 1/2 cucharadita de azúcar.
- 1/4 de cucharadita de sal.
- 1/8 de cucharadita de pimienta negra recién molida

En un tazón grande, combine las zanahorias, los arándanos y las nueces. Dejar de lado.

En un tazón pequeño, mezcle el jugo de limón, el aceite de nuez, el azúcar, la sal y la pimienta. Vierta el aderezo sobre la ensalada, mezcle suavemente para combinar y sirva.

48. Ensalada de hinojo y naranja con aceitunas negras

- 1 bulbo de hinojo mediano, cortado en rodajas de 1/4 de pulgada
- 2 naranjas, peladas, cortadas en cuartos y cortadas en rodajas de 1/4 de pulgada
- 1/4 taza de aceitunas kalamata, sin hueso y cortadas por la mitad
- 2 cucharadas de perejil fresco picado
- 2 cucharadas de aceite de oliva
- 1 cucharada de jugo de limón
- 1/2 cucharadita de azúcar.
- Sal y pimienta negra recién molida
- 4 hojas de lechuga Boston grandes u 8 pequeñas
- 1/4 taza de piñones tostados

En un tazón grande, combine el hinojo, las naranjas, las aceitunas y el perejil. Dejar de lado.

En un tazón pequeño, mezcle el aceite, el jugo de limón, el azúcar, la sal y la pimienta al gusto. Vierta el aderezo sobre la ensalada y mezcle suavemente para combinar.

Coloca una capa de hojas de lechuga en una fuente o platos individuales. Coloque la ensalada sobre la lechuga, espolvoree con los piñones y sirva.

49. Ensalada De Remolacha Amarilla Con Peras

- 3 a 4 remolachas amarillas medianas
- 2 cucharadas de vinagre balsámico blanco
- 3 cucharadas de mayonesa vegana, casera (ver mayonesa vegana) o comprada en la tienda
- 3 cucharadas de crema agria vegana, casera (ver crema agria de tofu) o comprada en la tienda
- 1 cucharada de leche de soja
- 11/2 cucharadas de eneldo fresco picado
- 1 cucharada de chalota picada
- 1/2 cucharadita de sal
- 1/8 de cucharadita de pimienta negra recién molida
- 2 peras Bosc maduras
- Jugo de 1 limón
- 1 lechuga de hojas rojas de cabeza pequeña, cortada en trozos pequeños

Cocine al vapor las remolachas hasta que estén tiernas, luego enfríe y pélelas. Corta las remolachas en palitos de fósforo y colócalas en un recipiente poco profundo. Agregue el vinagre y revuelva para cubrir. Dejar de lado.

En un tazón pequeño, combine la mayonesa, la crema agria, la leche de soja, el eneldo, la chalota, la sal y la pimienta. Dejar de lado.

Quita el corazón de las peras y córtalas en dados de 1/4 de pulgada. Coloque las peras en un tazón mediano, agregue el jugo de limón y mezcle suavemente para combinar. Repartir la lechuga en 4 platos de ensalada y colocar encima las peras y la remolacha. Rocíe el aderezo sobre la ensalada, espolvoree con nueces y sirva.

Ensalada De Escarola Y Naranja

- 2 cabezas medianas de escarola belga, hojas separadas
- 2 naranjas navel, peladas, partidas por la mitad y cortadas en rodajas de 1/4 de pulgada
- 2 cucharadas de cebolla morada picada
- 3 cucharadas de aceite de oliva
- 11/2 cucharadas de vinagre balsámico con infusión de higos
- Sal y pimienta negra recién molida
- 1 cucharada de semillas de granada frescas (opcional)

En un tazón grande, combine la escarola, las naranjas, las nueces y la cebolla. Dejar de lado.

En un tazón pequeño, combine el aceite, el vinagre, el azúcar, la sal y la pimienta al gusto. Revuelva hasta que se mezcle. Vierta el aderezo sobre la ensalada y mezcle suavemente para combinar. Espolvoree con semillas de granada, si las usa, y sirva.

CONCLUSIÓN

Antes de entrar en los detalles de las recetas y los sabores de este libro, es importante planificar la comida. Querrá preparar el escenario para su cena romántica asegurándose de que los dos estén solos. Si tiene hijos, ahora es el momento de pedir ese favor de niñera.

También es una buena idea establecer algunas reglas básicas: intente acordar una noche sin tecnología, lo que podría significar apagar la televisión o poner sus teléfonos fuera de la vista. La programación puede parecer forzada, pero es una excelente manera de proteger su relación de la enorme cantidad de "vida" que constantemente se le agolpa.

Once you've confirmed the date of your romantic evening, it's time to plan the menu. Be mindful of whether your fresh ingredients are in season, which can affect how easily you'll be able to source the necessary items on your list. Other things to consider include your dinner companion's dietary preferences and restrictions, like someone who prefers a plant-based diet or who has a nut allergy.

All that's left to do is turn on the tunes, enjoy your meal, and bask in each other's company—if you're enjoying each other, a romantic night at home beats a restaurant every time.

Lightning Source UK Ltd.
Milton Keynes UK
UKHW020455040621
384876UK00001B/22